Écrit par : Nicole Lebel et Francis Turenne
Illustré par : Francis Turenne
Révision des textes : Liara-Caroline Brault

Phil & Sophie : Je suis reconnaissant
ISBN : 978-2-924044-18-6
Dépôt Légal - Bibliothèque et Archives Nationale du Québec, 2012
Dépôt Légal - Bibliothèque et Archives Canada, 2012

Imprimé au Canada

Créé et publié par Fablus

Fablus.ca

Créé et imprimé
au Québec

je suis reconnaissant

Par une belle journée ensoleillée,
Phil et Sophie font une
petite promenade.

S
p

Phil s'arrête devant un chaton adorable qui
le regarde à travers la vitrine de l'animalerie.
Il veut l'adopter et le ramener à la maison.
Il en rêve depuis si longtemps !

Sophie rappelle doucement à Phil
qu'elle est allergique aux chats
et qu'il ne peut donc pas avoir de chaton.
La dernière fois qu'elle a caressé
le pelage d'un chat, elle avait
eu de grosses démangeaisons.

S

Phil est fâché contre Sophie
de ne pouvoir réaliser son rêve
d'avoir un chaton.

p
s

En continuant leur promenade,
Phil s’arrête encore, à la vue d’une énorme
friandise multicolore en forme de spirale.

25¢
2$

Il fouille alors dans ses poches et réalise
qu'il a oublié toutes ses économies à la maison !
« Oh non ! Je ne peux pas m'acheter le bonbon ! »

Décidément, c'est une mauvaise journée pour Phil qui pense que rien ne fonctionne pour lui. Il est très contrarié.

De retour à la maison,
Phil broie du noir dans sa chambre.
Il pense à tout ce qu'il veut et qu'il ne
peut pas avoir. Cela le rend très triste.

Voyant que son frère a de la peine,
Sophie s’approche et lui confie :
« Quand tu te rends malheureux comme ça,
pour tout ce que tu désires et que tu n’as pas...
Tu oublies toutes les belles choses
qu’il y a dans ta vie. »

Elle continue :

« Tu pourrais, par exemple, être reconnaissant
d'avoir une maison, des jouets, un chien
et une sœur aussi gentille que moi ! »

S
P

Phil constate alors qu'il se sent vraiment plus heureux lorsqu'il pense à tout ce qu'il y a de beau dans sa vie !

p
s

Et toi ?

Qu'as-tu de beau dans ta vie ?

Fais comme Phil et choisis

d'apprécier ce que tu as.

Choisis d'être reconnaissant !

Déjà parus dans la même collection :

1. Je suis franc
2. Je suis courageuse
3. Je suis optimiste
4. Je suis reconnaissant
5. Je suis patient
6. Je suis serviable
7. Je suis persévérant
8. Je suis écolo
9. Je suis calme
10. Je suis généreux
11. Je suis respectueux
12. Je suis responsable

Ministoires[MD] à colorier et certificats gratuits sur fablus.ca

fablus.ca